O Mágico de Oz

DOROTI ERA UMA MENINA ENCANTADORA, BEM COMO SEU COMPANHEIRO INSEPARÁVEL, O CACHORRINHO TOTÓ. ELA ERA ÓRFÃ E VIVIA COM SEUS TIOS NUMA FAZENDA. ADORAVA PASSEAR E EXPLORAR NOVOS LUGARES COM SEU CÃO.

UM DIA, DOROTI E TOTÓ COLHIAM FLORES NO JARDIM QUANDO FORAM ENVOLVIDOS POR UMA NUVEM PRETA E UM VENTO FORTE QUE OS CARREGOU PARA UM LUGAR DISTANTE E MUITO ESTRANHO, CHAMADO OZ.

EM OZ VIVIAM QUATRO FADAS: DUAS BOAS E DUAS MÁS. AS BOAS ERAM AS FADAS DO NORTE E DO SUL, E AS MÁS AS FADAS DO LESTE E DO OESTE.

QUANDO A NUVEM PRETA PAROU EM OZ, DOROTI E TOTÓ CAÍRAM BEM EM CIMA DA MALVADA FADA DO LESTE.

A BOA FADA DO NORTE, AGRADECIDA, ENTREGOU PARA DOROTI AS SANDÁLIAS ENCANTADAS DA FADA DO LESTE E AVISOU:

— VOCÊ CORRE PERIGO NESTA CIDADE. A MALVADA FADA DO OESTE VAI QUERER VINGANÇA. CALCE AS SANDÁLIAS E PROCURE O MÁGICO DE OZ. SÓ ELE PODE PROTEGER E AJUDAR VOCÊS A VOLTAREM PARA CASA. SIGA A ESTRADA DE PEDRAS BRILHANTES E CHEGARÁ À CIDADE DAS ESMERALDAS, ONDE ELE MORA.

PELO CAMINHO ENCONTRARAM UM ESPANTALHO COM UM OLHAR PERDIDO QUE PERGUNTOU:

— BOM DIA, MENINA! AONDE VÃO COM TANTA PRESSA?

— BOM DIA! VAMOS PROCURAR O MÁGICO DE OZ — RESPONDEU DOROTI.

— TAMBÉM QUERO ENCONTRÁ-LO, POIS EU GOSTARIA QUE ELE ME DESSE UM CÉREBRO PARA PENSAR. POSSO IR COM VOCÊS? — PERGUNTOU O ESPANTALHO.

— CLARO, VAMOS!

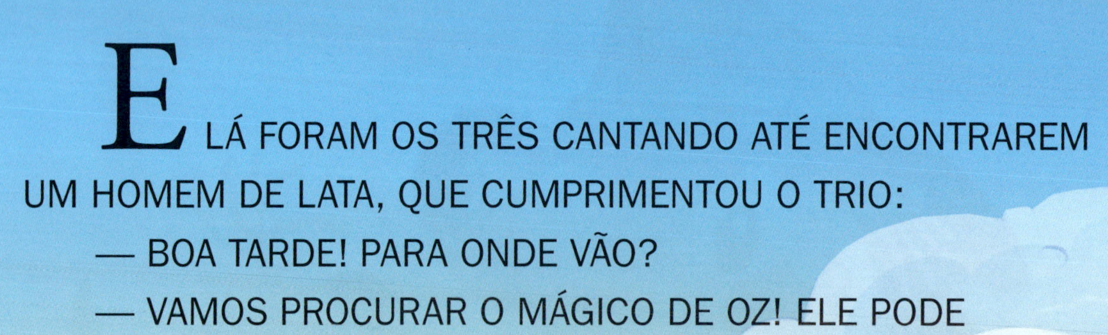

E LÁ FORAM OS TRÊS CANTANDO ATÉ ENCONTRAREM UM HOMEM DE LATA, QUE CUMPRIMENTOU O TRIO:

— BOA TARDE! PARA ONDE VÃO?

— VAMOS PROCURAR O MÁGICO DE OZ! ELE PODE CONSERTAR QUALQUER COISA COM SUA MAGIA — RESPONDEU O ESPANTALHO.

— POSSO IR TAMBÉM? QUEM SABE ELE ME ARRUMA UM CORAÇÃO? — PERGUNTOU O HOMEM DE LATA.

— VAMOS ADORAR SUA COMPANHIA — RESPONDEU DOROTI.

MAIS ADIANTE, UM LEÃO RUGIU PARA ELES, MAS TOTÓ LATIU EM RESPOSTA E O FELINO SE ESCONDEU APAVORADO ATRÁS DE UMA ÁRVORE.

— UM LEÃO MEDROSO! — EXCLAMOU DOROTI.

— SIM... — CONFESSOU ENVERGONHADO O FELINO.

— VENHA COM A GENTE! APOSTO QUE O MÁGICO DE OZ PODE DAR CORAGEM PARA VOCÊ!

ANDARAM MUITO E FINALMENTE CHEGARAM À CIDADE DAS ESMERALDAS. LOGO ENCONTRARAM A CASA DO MÁGICO, QUE RECEBEU UM DE CADA VEZ. APÓS OS PEDIDOS, O MÁGICO DE OZ PROMETEU ATENDER A TODOS SE O AJUDASSEM A SE LIVRAR DA FADA MÁ DO OESTE.

ELES ACEITARAM E PARTIRAM PARA O DESAFIO. AO ANOITECER, A FADA MÁ DO OESTE MANDOU CORVOS E LOBOS PARA AMEDRONTÁ-LOS, MAS O ESPANTALHO ASSUSTOU OS PÁSSAROS E O HOMEM DE LATA VENCEU OS LOBOS.

A FADA DO OESTE, FURIOSA, MANDOU MACACOS ALADOS PARA PRENDER OS CINCO AMIGOS NO SEU CASTELO. AO CHEGAREM LÁ, ELA AMASSOU O HOMEM DE LATA, TIROU A PALHA DO ESPANTALHO, PRENDEU O LEÃO NA JAULA E DISSE:

— VOU TRANSFORMAR SEU CACHORRO NUMA LESMA, GAROTA PETULANTE!

DOROTI, COM MUITA RAIVA, PEGOU UM BALDE COM ÁGUA E JOGOU NA FADA DO OESTE. POR CAUSA DISSO, A FADA FOI DIMINUNDO ATÉ DESAPARECER. NINGUÉM SABIA QUE ÁGUA DESTRUÍA FADAS MÁS.

A BOA FADA DO SUL DESAMASSOU O HOMEM DE LATA, COLOCOU A PALHA NO ESPANTALHO E SOLTOU O LEÃO. JÁ NO CASTELO DE OZ, O LEÃO GANHOU CORAGEM; O ESPANTALHO, UM CÉREBRO; E O HOMEM DE LATA, UM CORAÇÃO.

O MÁGICO TAMBÉM CONSERTOU AS SANDÁLIAS DA FADA DO LESTE — QUE TINHAM PERDIDO SEUS PODERES — E AGORA DOROTI PODERIA VOAR ATÉ A FAZENDA DE SEUS TIOS.

A MENINA DESPEDIU-SE DOS AMIGOS E VOOU COM TOTÓ DE VOLTA PARA CASA.